Universo
MAKER

DÉBORA GAROFALO

PEQUENOS

INVENTORES

Invenções que mudam o mundo,
artefatos mão na massa

ENSINO FUNDAMENTAL
ANOS INICIAIS

Ciranda Cultural

Dados Internacionais de Catalogação na Publicação (CIP) de acordo com ISBD

G237p   Garofalo, Débora.

         Pequenos inventores: Invenções que mudam o mundo, artefatos mão na massa / Débora Garofalo ; ilustrado por Simone Ziasch ; Shutterstock. - Jandira, SP : Ciranda Cultural, 2024.
         48 p. : il.; 20,10cm x 26,80cm. - (Universo maker).

         ISBN: 978-65-261-1298-4

         1. Educação. 2. Apoio escolar. 3. Tecnologia. 4. Invenção. 5. História. 6. Artes. I. Título. II. Ziasch, Simone. III. Shutterstock. IV. Série.

2024-1839   CDD 372.2
                                             CDU 372.4

Elaborada por Lucio Feitosa - CRB-8/8803

Índice para catálogo sistemático:
1. Educação 372.2
2. Educação 372.4

© 2024 Ciranda Cultural Editora e Distribuidora Ltda.
Texto © Débora Garofalo
Ilustrações: Simone Ziasch e Woodhouse/Shutterstock.com; Foxelle Art/Shutterstock.com; Everett Collection/Shutterstock.com
Capa: Simone Ziasch
Editora: Elisângela da Silva
Preparação de texto: Adriane Gozzo
Revisão: Fernanda R. Braga Simon e Karina Barbosa dos Santos
Projeto gráfico e diagramação: Ana Dobón
Produção: Ciranda Cultural

1ª Edição em 2024
www.cirandacultural.com.br

SUMÁRIO

APRESENTAÇÃO

Seja bem-vindo ao livro *Pequeno inventores – invenções que mudam o mundo, artefatos mão na massa*. Antes de iniciarmos nossa jornada pelas invenções, quero que você conheça nosso mentor, nosso amigo Gambiarra, que nos guiará por um caminho mão na massa de muitas descobertas!

Olá, sou o robô Gambiarra, feito de materiais recicláveis. Guiarei você pela jornada da criatividade e da inventividade, na qual aprenderemos muito um com o outro, por meio de inúmeras possibilidades, pelo mundo da imaginação e da mão na massa.
Vamos juntos?

Agora que conheceu o Gambiarra, quero lhe apresentar as bases que darão suporte à nossa aventura.

A PRIMEIRA É A CULTURA MAKER.

VOCÊ CONHECE ESSE TERMO?

A palavra *maker* vem do verbo em inglês *to make*, que significa "fazer". Trata-se de uma filosofia utilizada para construir algo com as próprias mãos (produto construído para determinada funcionalidade), além de reparar objetos e artefatos dos mais variados tipos e para diferentes funções. Essa filosofia está ancorada em quatro pilares:

Criatividade

Por meio dela podemos criar os mais diferentes objetos e artefatos, reciclando, muitas vezes, materiais que tinham outro uso. Um exemplo é construir artefatos usando materiais que seriam descartados, como o papelão e as tampinhas de garrafa pet, que podem dar origem a um carrinho.

Colaboração

Por meio dela podemos colaborar uns com os outros, compartilhando informações e pontos de vista, possibilitando o trabalho em equipe.

Escalabilidade

Os artefatos produzidos podem ganhar escala e impactar pessoas e ações. Um exemplo é a produção de próteses ortopédicas.

Sustentabilidade

Toda solução é voltada às questões ambientais e sustentáveis – por exemplo, reciclagem de materiais descartáveis.

A SEGUNDA É A ROBÓTICA COM SUCATA.

A segunda base é a metodologia *robótica com sucata*, desenvolvida pela professora Débora Garofalo, que tem por objetivo ressignificar materiais (eletrônicos e recicláveis) para a criação de artefatos tecnológicos, despertando a criatividade e a inventividade. O trabalho de robótica com sucata ganhou notoriedade e é, atualmente, uma política pública que ressignifica caminhos para trabalhar a robótica na educação, de maneira sustentável, democratizando o acesso para milhares de estudantes.

DESBRAVANDO A HISTÓRIA

DICA DE OURO: todas as professoras elencadas desenvolveram importantes metodologias para a educação. Vale pesquisar sobre elas na internet.

A pessoa que desenvolveu o trabalho de robótica com sucata é professora e foi a primeira mulher e a primeira sul-americana a chegar à final do Global Teacher Prize, considerado o Prêmio Nobel da Educação. Além disso, foi considerada uma das dez melhores professoras do mundo.

Que tal arriscar um palpite e descobrir quem é essa pessoa?

a) Maria Montessori.

b) Magda Soares.

c) Débora Garofalo.

d) Anne Sullivan.

Agora que você conheceu um pouco mais da proposta deste livro, vamos conhecer o micromundo?

APRESENTANDO O MICROMUNDO

Você sabe o que significa *micromundo*? O termo representa ambientes de aprendizagem em que podemos fazer explorações, simulações, descobertas e testes e desenvolver habilidades e competências para novos conhecimentos; por isso, partiremos da ideia de que nosso livro é um micromundo, para conhecermos algumas criações que impactaram a humanidade.

Você já parou para pensar no impacto que as criações tiveram ao longo da história? Por exemplo, a criação do avião, que causou impacto significativo no mundo, tendo em vista que o transporte aéreo é essencial para o desenvolvimento econômico e social de um país, permitindo não só diminuir distâncias entre lugares e pessoas como também impulsionar o país por meio de atividades comerciais e de turismo.

DESBRAVANDO A HISTÓRIA

Agora que você está aprendendo sobre criações, que tal descobrir alguns fatos?

Você sabe quem criou o avião?

a) Os irmãos Wright.

b) Victor Tatin.

c) Santos Dumont.

d) E. Lilian Todd.

SAIBA MAIS

Orville e Wilbur Wright, os irmãos Wright, fizeram, em dezembro de 1903, nos Estados Unidos, aquele considerado o primeiro voo motorizado da história e são tidos pioneiros nessa área.

Diferente de outros países do mundo, no Brasil há a discussão de que o primeiro voo motorizado foi realizado pelo mineiro Alberto Santos Dumont. Quem você acha que foi realmente o primeiro?

Primeiro avião do mundo, criado pelos irmãos Wright.

Outra invenção que vem impactando o mundo é a internet.

A internet é uma rede de computadores espalhados por diversas regiões do planeta que trocam dados e mensagens utilizando linguagem específica, uma espécie de protocolo compartilhado. Assim, é possível conectar vários usuários particulares, entidades públicas e empresariais em um mesmo acesso e ainda criar conexão entre as pessoas em diferentes lugares do mundo e ter acesso a informações a uma velocidade incrível.

Com o advento da internet, substituímos alguns hábitos, como trocar cartas, por mensagens instantâneas, ligações telefônicas por mensagens de vídeo, e ainda temos a oportunidade de navegar por redes sociais e nos conectar com pessoas do mundo todo, além de termos acesso a qualquer tipo de informação por meio de celulares, tablets e computadores.

 **QUIZ**

SAIBA MAIS

A internet foi criada nos Estados Unidos em 1969 e recebeu o nome de Arpanet. Sua função era interligar laboratórios de pesquisa. Nesse mesmo ano, um professor da Universidade da Califórnia enviou a um amigo de Stanford o primeiro e-mail da história.

Fonte: https://christopherwink.com/2022/02/13/j-c-r-licklider-and-his-dream-machine-of--personal-computing/

J. C. R. Licklider foi um dos pioneiros da área de informática da Agência de Projetos Avançados de Pesquisa (ARPA) do Instituto de Tecnologia de Massachusetts (MIT).

Agora que conhecemos algumas invenções, vamos refletir?

MOMENTO REFLEXÃO:
Você já pensou em criar algo? Será que sua invenção poderia impactar o desenvolvimento do mundo? Poderia ser capaz de acabar com problemas reais, como a desigualdade social, ou melhorar a vida em comunidade?

Para isso, precisamos descobrir como funcionam as invenções e qual é a utilidade delas, além de como idealizar um projeto e colocá-lo em prática. São muitas as questões, as quais, juntos, vamos desvendar colocando a mão na massa.

INICIANDO A JORNADA

Gostaria de lhe dar as boas-vindas ao nosso fantástico **Laboratório de inovação**, parte integrante deste livro e, consequentemente, de nosso micromundo. Você está convidado a embarcar em uma jornada criativa pautada em **invenções** e **ideias**, **criatividade**, **cultura maker** e **robótica**, para desvendar seus mistérios e entender seu funcionamento no cotidiano, ao criar artefatos.

A partir de agora, mergulhe em uma grande troca de experiências, crie mecanismos inovadores, brinque com a ideia de construir artefatos e entenda seus efeitos no dia a dia, por intermédio da jornada criativa **Invenções que mudam o mundo: artefatos mão na massa**. Durante ela, vamos fazer novas reflexões sobre o impacto de grandes invenções e dos mecanismos que transformam o cotidiano. Aprenderemos o funcionamento das criações, seus princípios e algumas aplicações básicas. Às vezes, usamos várias coisas em nosso dia a dia e nunca paramos para pensar que foram necessárias muitas experiências e trabalho árduo para criá-las, não é mesmo?

Pronto para desvendar as invenções?

GRANDES IDEIAS

Ao longo de nossa jornada criativa, vamos colocar a mão na massa para compreender alguns questionamentos. Por exemplo:

DICA DE OURO: guarde os conhecimentos que adquirir, pois eles o ajudarão na produção de outros artefatos.

⚙ **Posso ser inventor e criar artefatos?**

⚙ **Existem máquinas manuais?**

⚙ **Como funcionam suas engrenagens?**

⚙ **O que é um circuito elétrico? Para que ele serve? Como posso reproduzi-lo?**

⚙ **Em que os inventores pensam para realizar uma construção?**

⚙ **As invenções sempre serão automatizadas?**

Todos nós podemos criar invenções! E, por falar em invenções, é hora de colocar a mão na massa, aprender e brincar vivenciando experimentos.

DESBRAVANDO A HISTÓRIA ||||||||||||||||||||

VOCÊ CONHECE AS PRINCIPAIS INVENÇÕES QUE SURGIRAM A PARTIR DO SÉCULO XVIII?

⚙ **MOTOR ELÉTRICO:** a descoberta dos motores elétricos ocorreu na primeira metade do século XIX.

⚙ **LÂMPADA ELÉTRICA:** a substituição dos lampiões por lâmpadas elétricas, no século XIX, produziu imenso impacto na vida urbana, social, cultural e produtiva.

⚙ **TELÉGRAFO:** a transmissão de mensagens por sinais elétricos, no fim da primeira metade do século XIX, por meio de um aparelho conhecido como telégrafo, faz parte desta lista pela revolução que promoveu na área da comunicação, com impactos tão significativos como aqueles produzidos pela internet na sociedade atual.

⚙ **VACINA:** esse método de imunização, que teve sua primeira formulação e utilização no século XVIII, é um marco na história da microbiologia e da medicina. Figura na lista de grandes descobertas tecnológicas por ser um dos fatores determinantes para a redução da mortalidade e o aumento da qualidade de vida.

⚙ **COMPUTADOR:** hoje, o mundo é informatizado e cada vez mais dependente dessa máquina chamada computador, que foi criado no século XX.

ROBÔ AUTÔMATO

Os primeiros robôs da humanidade eram chamados de autômatos. Foram construídos no século XVIII e eram capazes de escrever, desenhar e até tocar.

Robôs autômatos são máquinas que simulam os movimentos de seres vivos, têm determinado número de membros, que se articulam para o seu funcionamento, e não dependem de energia elétrica, ou seja, realizam os movimentos de maneira mecânica. Agora que conhecemos um pouco sobre os autômatos, que tal criarmos um?

 MOMENTO MÃO NA MASSA: construindo um robô autômato

Separe os materiais a seguir para criar seu robô autômato:

- 1 caixa de papelão;
- 2 palitos de churrasco;
- régua;
- tesoura;
- lápis;
- 1 canudo de papel;
- cola quente;
- 1 tampinha de garrafa;
- fita-crepe.

DICA DE OURO:

observe que usaremos alguns materiais que necessitarão do auxílio de outras pessoas, como tesoura e cola quente. Quando realizamos uma atividade mão na massa, zelamos sempre pela segurança; por isso, se sentir dificuldade, peça a ajuda de adultos e evite brincadeiras com esses materiais. Esses são materiais que podem ser substituídos por outros, caso você não disponha de algum deles, por isso use a inventividade e a criatividade para realizar essa substituição.

Com os materiais separados, siga o passo a passo para a construção do seu robô autômato.

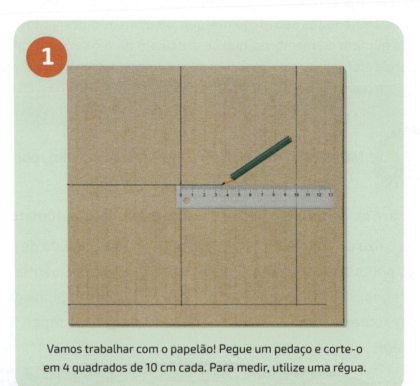

Vamos trabalhar com o papelão! Pegue um pedaço e corte-o em 4 quadrados de 10 cm cada. Para medir, utilize uma régua.

Faça traços diagonais a lápis, cruzando de um ponto a outro, conforme o exemplo.

3

Em um dos quadrados, faça um furo, com a ponta do palito de churrasco, um pouco acima do encontro das retas.

4

Faça isso em todos os quadrados de papelão.

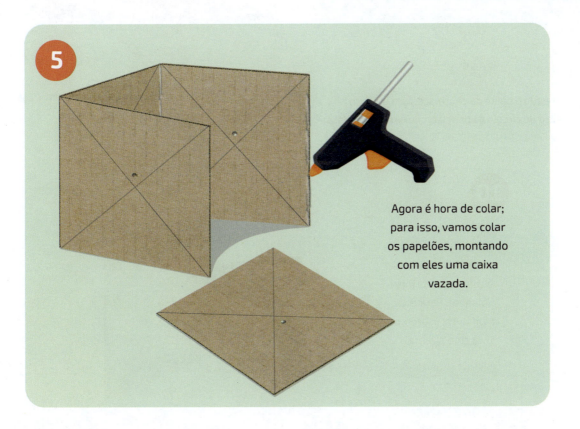

5

Agora é hora de colar; para isso, vamos colar os papelões, montando com eles uma caixa vazada.

6

Não se esqueça! Lembre-se de deixar o furo desalinhado na parte de cima.

7

Pegue uma tampinha de garrafa grande e faça moedas de papelão.

8

Usando o palito de churrasco, faça um furo no centro do círculo de papelão, conforme o modelo.

9

Em outro círculo, faça um furo um pouco acima, descentralizado.

10

Passe o canudo pelo furo de um dos quadrados de papelão e cole-o conforme a imagem. Para esse momento, usaremos a cola quente.

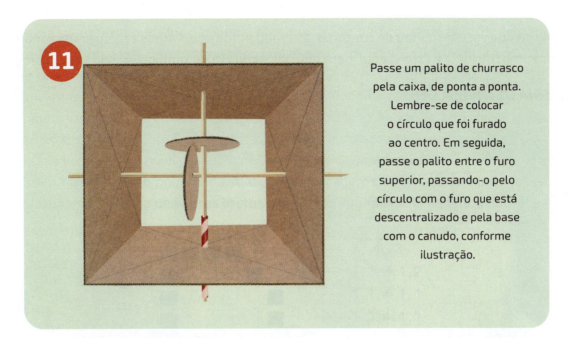

11

Passe um palito de churrasco pela caixa, de ponta a ponta. Lembre-se de colocar o círculo que foi furado ao centro. Em seguida, passe o palito entre o furo superior, passando-o pelo círculo com o furo que está descentralizado e pela base com o canudo, conforme ilustração.

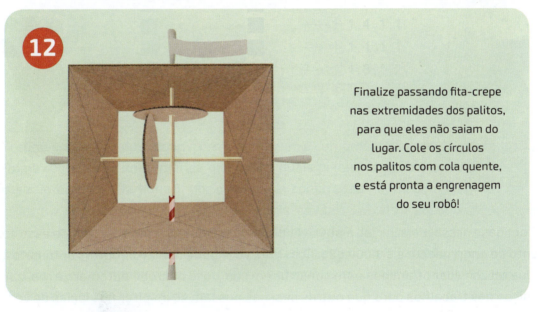

12

Finalize passando fita-crepe nas extremidades dos palitos, para que eles não saiam do lugar. Cole os círculos nos palitos com cola quente, e está pronta a engrenagem do seu robô!

Agora é hora de pensar no objeto que ficará em cima do artefato.

Coloque um personagem capaz de se mover. Pode ser uma bailarina, um boneco, um pássaro, uma aranha, entre outros, criados por você. Ele irá se movimentar, conforme você girar a manivela. Use a criatividade para colorir e personalizar seu personagem. Você também poderá colorir a parte de baixo, personalizando seu robô autômato.

Você também poderá colorir a parte de baixo, personalizando seu robô autômato.

Agora que você terminou de construir seu robô autômato, vamos registrar esse momento? Tire uma foto dele e cole-a aqui, para que possamos fazer uma galeria de suas invenções.

GALERIA DE INVENÇÕES

Com base nessa ideia inicial, é possível desenvolver outros projetos, usando esse conhecimento de engrenagem e articulação. Com isso, você pode construir outros autômatos.

Que tal convidar os amigos para construírem com você um robô autômato e realizar uma exposição dos trabalhos para que outras pessoas possam se inspirar nas ideias de vocês?

CIRCUITO ELÉTRICO

Agora que aprendemos sobre engrenagens e articulações mecânicas, você já parou para pensar em como funciona o ligar e o desligar de uma lâmpada elétrica? Para falar sobre isso, vamos conhecer um pouco mais da história da eletricidade?

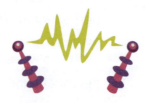

A eletricidade está presente em tudo ao nosso redor, desde a lâmpada acesa até a condução de energia para a geladeira, o computador e a televisão. Mas você sabe como tudo isso começou?

A eletricidade está relacionada ao conceito de energia elétrica, que é a passagem ou a transferência de cargas elétricas, e sempre esteve presente no nosso cotidiano por meio dos relâmpagos, que são descargas naturais de energia, ou nos primórdios, no tempos das cavernas, com o surgimento do fogo.

Ao longo da história, houve várias evoluções da energia, até chegarmos a Thomas Edison, inventor e empreendedor norte-americano que, em 1879, inventou a lâmpada elétrica incandescente, bem parecida com as que utilizamos atualmente. A importância de Edison é ainda maior porque o produto se tornou comercializável e deu origem a um mercado de outros produtos.

Thomas Edison, descobridor da lâmpada incandescente

A relevância da descoberta de Edison nos leva a compreender a importância da corrente alternada, que é uma corrente elétrica que passa de maneira alternada por um circuito elétrico.

Veja, a seguir, um exemplo de circuito elétrico.

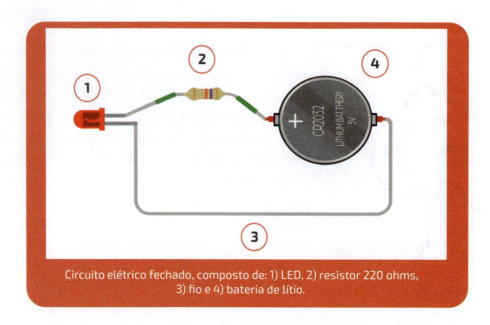

Circuito elétrico fechado, composto de: 1) LED, 2) resistor 220 ohms, 3) fio e 4) bateria de lítio.

O circuito elétrico pode ser aberto, quando uma condução de energia é interrompida. Nesse caso, a condução é a bateria de lítio. Ele também pode ser fechado, conforme mostra a imagem. Aqui temos uma ligação direta, ou seja, em que o LED ficará aceso o tempo todo.

No circuito elétrico de nossas casas, usamos um interruptor para liberar ou interromper a energia que liga e desliga as lâmpadas.

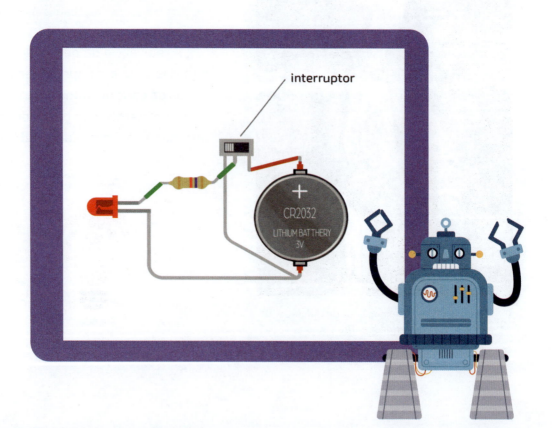

MOMENTO MÃO NA MASSA: construindo um circuito elétrico

Agora que aprendemos sobre circuitos para acender um LED, chegou a hora de colocarmos em prática esse aprendizado. Para isso, você precisará dos seguintes materiais:

- papel-alumínio (tiras cortadas de 2 cm);
- 1 LED;
- 1 bateria de lítio;
- cola em bastão;
- fita adesiva;
- tesoura com pontas arredondadas.

Atenção: não coloque nenhum desses materiais ou partes deles na boca. Se não os tiver, você pode adaptá-los.

DICA DE OURO:

lembre-se de pedir auxílio a um adulto para manusear os materiais e fique tranquilo: eles não apresentam risco de choque por causa da voltagem, que é baixa. Os materiais são de fácil acesso e baixo custo.

Siga os passos abaixo e construa seu circuito elétrico.

Cole a tira de papel-alumínio do condutor positivo, conforme indicação, dobrando-a para formar os cantos.

Cole a tira de papel-alumínio do condutor negativo, conforme indicação, dobrando-a para formar os cantos.

Posicione o LED no local indicado, observando os polos negativo e positivo em contato com as tiras de papel-alumínio, e fixe com fita adesiva.

Posicione a bateria com o lado negativo em contato com o negativo da tira de papel-alumínio e fixe com fita adesiva, deixando a área central exposta.

Dobre no local indicado para fechar o circuito, e o LED acenderá. Caso não acenda, verifique se as conexões estão corretas e realize os ajustes.

CURIOSIDADE

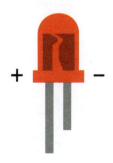

+ −

⚙ Note que uma das "pernas" do LED é maior, a qual chamamos de positivo, enquanto a outra é menor, denominada negativo.

⚙ Para saber se o LED está funcionando, insira a bateria de lítio, conectando os respectivos lados positivo e negativo. Se não funcionar, vire a bateria; se ainda não funcionar, faça o teste em outro LED.

 MOMENTO MÃO NA MASSA: cartão iluminado

Como você já sabe montar um circuito elétrico de papel, que tal produzir um cartão com luz de LED? Use a criatividade para montá-lo e enviá-lo a uma pessoa especial, que pode ser um amigo ou um familiar. Cole papéis coloridos nele e, no verso, reproduza o circuito elétrico de papel que você produziu na atividade anterior.

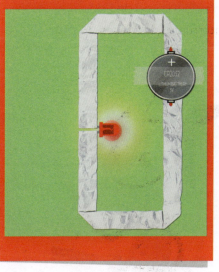

Vamos registrar esse momento? Tire uma foto do seu cartão iluminado e cole-a aqui, em nossa galeria.

GALERIA DE INVENÇÕES

 MOMENTO MÃO NA MASSA: abajur

Que tal criarmos um abajur usando o mesmo conceito de circuito elétrico?

Você vai precisar dos materiais a seguir:
- 1 LED branco;
- 1 resistor de 220 ohms;
- 1 bateria de lítio;
- 1 suporte de bateria de lítio;
- 1 mini interruptor de 2 fases;
- 1 cabo flexível (fio) de 45 cm;
- copo de papel;
- papéis coloridos e canetas hidrocor;
- tesoura;
- cola em bastão;
- fita adesiva.

DICA DE OURO:

quando realizamos uma atividade mão na massa, zelamos sempre pela segurança; por isso, se sentir dificuldade, peça a ajuda de adultos e evite brincadeiras com os materiais relacionados. Os materiais indicados são de baixo custo e alguns deles podem ser encontrados em objetos que você não utiliza mais, sendo recicláveis e, portanto, contribuindo com o meio ambiente.

Vamos começar montando o circuito elétrico. Siga os passos abaixo:

CURIOSIDADE

⚙ Para esta atividade, vamos usar o resistor, componente utilizado nos circuitos elétricos para limitar a corrente elétrica e gerar calor conforme as necessidades do projeto.

⚙ LED é um emissor de luz, e, para que ele não queime em razão da voltagem que recebe, é necessário usar um resistor.

⚙ Existe um cálculo para saber qual resistor utilizar em nosso trabalho. No entanto, vamos aplicar o que é utilizado, que é usar um resistor de 220 ohms em um LED comum e/ou de alto brilho, com alimentação de 6V para nossa lâmpada não queimar.

DICA DE OURO:
antes de iniciar o passo a passo, teste se o LED está funcionando. Para isso, releia a parte relacionada ao circuito elétrico.

1

Pegue o LED e coloque o resistor junto ao lado negativo (perna menor do LED). Observe a ilustração.

2

Depois, pegue o suporte da bateria e um pedaço de fio de 15 cm. Para medir, utilize a régua. Peça auxílio a um adulto para descascar as pontas do fio. A parte descascada será enrolada no lado positivo do LED (na perna maior), e a outra parte, junto ao suporte da bateria, conforme a ilustração.

3

Corte um segundo pedaço de fio de 15 cm e descasque as pontas, com a ajuda de um adulto. Em seguida, conecte a parte descascada do fio ao suporte inferior da bateria, junto à primeira perna do interruptor. Ligue também o outro polo do resistor na segunda chave do interruptor, conforme a ilustração.

4

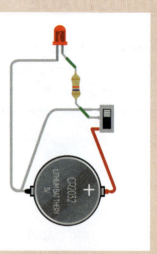

Por fim, corte um terceiro pedaço de fio de 15 cm e descasque as pontas, com a ajuda de um adulto. Depois, conecte a ponta descascada à parte superior do suporte da bateria de lítio. Na imagem, deixamos o fio vermelho para destacar a ação. Coloque a bateria de lítio de acordo com o polo ligado. Faça isso com o interruptor desligado.

5

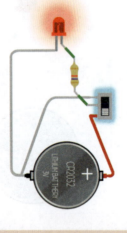

Por último, ligue o interruptor e veja se o LED acende. Se acender, seu circuito estará finalizado.

6

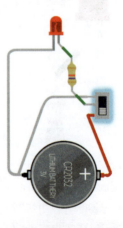

Se não acender, verifique os fios e a posição da bateria e teste novamente.

Com o circuito pronto, é hora de montar o abajur. Pegue o copo e enfeite-o à sua manei-ra, realizando suas personalizações. Faça um furo na parte superior dele e/ou no meio, para acomodar o LED do lado exterior. Na parte interna do copo, coloque o circuito elétrico, pren-dendo-o com fita adesiva.

Vamos registrar esse momento? Tire uma foto do seu abajur e cole-a aqui na nossa galeria.

GALERIA DE INVENÇÕES

Agora que aprendemos a fazer um circuito elétrico e realizamos criações incríveis, chegamos a mais uma invenção, o motor. O motor é um dispositivo que converte formas de energia em energia mecânica. Desde os primórdios, a humanidade utiliza fontes motoras para a realização de trabalhos. Os primeiros motores usavam força humana, tração animal, correntes de água, vento e/ou vapor.

Elevador, geladeira e máquina de lavar roupa são alguns exemplos de onde o motor elétrico está presente e de sua importância para o nosso dia a dia.

O motor também está presente em muitos brinquedos e, para funcionar, necessita de potência menor. Para isso, é preciso ter próximo a ele um circuito elétrico, assim como alguns componentes eletrônicos, que vamos rever ao colocarmos a mão na massa.

 MOMENTO MÃO NA MASSA: robô escova

Vamos retomar o conhecimento adquirido do funcionamento de um motor para criarmos um robô escova?

Você vai precisar dos materiais a seguir:
- 2 pilhas AA 1,5 volts, com suporte de pilha e/ou bateria 9V, com suporte de bateria;
- minimotor DC 3V a 6V;
- 30 cm de cabo flexível (fio);
- mini interruptor de duas chaves;
- 1 rolha;
- tesoura;
- cola quente;
- escova de lavar roupa;
- fita isolante;
- fita dupla-face;
- materiais de papelaria e canetas hidrocor.

DICA DE OURO:

todos os materiais são de baixo custo e podem ser encontrados em equipamentos que não estejam em uso, como um brinquedo como carrinhos, jogos eletrônicos e bonecas e ainda em aparelhos como DVD player e/ou computadores. Com isso, você pode explorar a temática da sustentabilidade e do reaproveitamento de materiais.

ENTENDENDO O FUNCIONAMENTO

Vamos entender como funcionam os equipamentos? Você vai precisar fazer um equipamento funcionar!

1

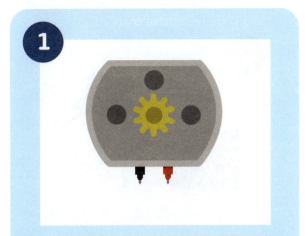

Pegue o minimotor. Na parte de baixo, ele apresenta duas polaridades: uma positiva e outra negativa.

2

O mesmo ocorre com as pilhas com o suporte e/ou as baterias.

3

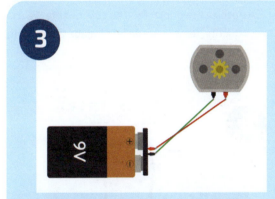

Teste: corte o fio de 30 cm em três partes de 10 cm cada. As pontas deverão ser descascadas para que possa ser feita a conexão. Lembre-se de pedir auxílio a um adulto. Ligue os fios positivos com os positivos e os negativos com os negativos. Coloque as pilhas e/ou a bateria e veja se o minimotor está funcionando. Se desejar testar a rotação do minimotor, pegue um pedaço de fita isolante e cole-a na parte superior da ponta metálica. Se ele não estiver funcionando, refaça o processo e realize testes para identificar a causa.

4

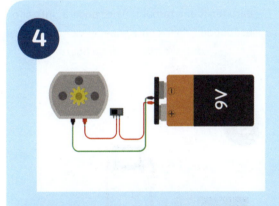

Agora, conecte o fio e acrescente o interruptor de duas chaves pequeno para ativar o processo liga-desliga, seguindo o exemplo acima.

DICA DE OURO:

desestabilize o motor na ponta metálica, com o conector de fio para chuveiro e/ou um pedaço de rolha. Isso é importante para que ele fique pesado e consiga vibrar. Há várias maneiras de fazer isso, e uma delas pode ser a cola quente. Apenas tome cuidado para a cola não escorrer para a parte interna do motor. Depois de aprender a montar esse circuito, saiba que ele poderá ajudar em outros projetos, mas, por ora, você vai construir um robô escova.

Finalizado o processo do circuito, é hora de montar o robô escova. Siga o passo a passo.

ROBÔ ESCOVA

1

Pegue a escova de roupas. Para melhor funcionamento do robô, é importante que as cerdas estejam voltadas para fora. Nesse caso, para facilitar o trabalho, você poderá utilizar o secador de cabelos para aquecer e direcionar as cerdas, como mostra a figura.

2

Neste momento, vamos retomar os componentes elétricos. Fixe o porta-pilhas e/ou a bateria na base da escova, conforme a figura acima. Para isso, utilize fita dupla-face ou cola quente. Se usar cola quente, lembre-se de pedir ajuda a um adulto.

3

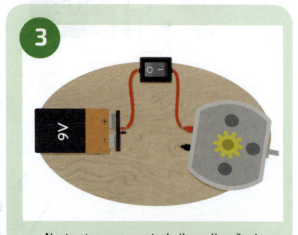

Nesta etapa, vamos trabalhar a ligação do motor. Antes de fixá-lo na base da escova, é importante ligar os fios do porta-pilhas ou da bateria aos terminais do motor. Em caso de dúvidas, reveja a imagem do circuito e não se esqueça de que um dos fios deverá ser ligado primeiro ao interruptor.

4

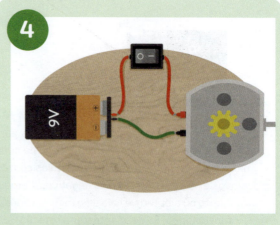

Após ligar um dos fios ao interruptor, o outro terminal deverá ser ligado ao motor.

5

Para provocar a trepidação necessária para movimentar nosso robô, é preciso colocar um contrapeso em seu eixo, conforme mostra a figura. Nesse caso, uma rolha, fixando no motor metal para desestabilizar e gerar o movimento.

6

Ao finalizar a montagem, faça uma verificação no circuito elétrico. Em seguida, realize testes e, se não estiver funcionando, retome o passo a passo. Você pode enfeitar seu robô e deixá-lo com a aparência de um inseto ou ainda mais divertido!

Vamos registrar esse momento? Tire uma foto do seu robô escova e cole-a aqui na galeria.

GALERIA DE INVENÇÕES

PROGRAMAÇÃO

Conhecemos muitas invenções que se utilizam de ações mecânicas, ou seja, que dependem de componentes eletrônicos para funcionar. Outras dependem de linguagem de programação.

A linguagem de programação é um processo de escrita de códigos para computador, isto é, a linguagem que a máquina compreende. Esse processo pode parecer complexo, mas, na realidade, não é.

Programamos ações constantemente, por exemplo, quando programamos o celular para despertar ou planejamos os estudos de rotina, e tudo isso depende de ações e comandos para acontecer.

Com as atividades anteriores, também programamos, mas de maneira desplugada, ou seja, sem a necessidade de ferramentas digitais, como, por exemplo, o computador. Seguimos passos mecânicos para que os artefatos funcionem. Agora, vamos nos aventurar e explorar a linguagem de programação para compreender como alguns processos ocorrem de maneira automatizada.

 MOMENTO MÃO NA MASSA: criando imagens em pixels

Você já ouviu falar em fax? O fax é uma tecnologia das telecomunicações utilizada para a transferência remota de documentos através da rede telefônica. Ele reduz os dados para poder passar informações, num processo semelhante ao dos computadores, que armazenam informações e as repassam por meio de números. Embora o fax seja considerado uma tecnologia ultrapassada, ainda hoje é utilizado por algumas empresas e por governos pelo mundo. Da mesma forma, os computadores ainda funcionam dessa maneira, lendo informações a partir daquilo que conhecemos como *pixels*.

Observe a representação a seguir.

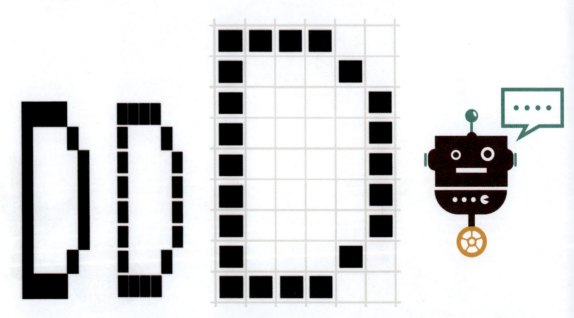

A tela de um computador é dividida em uma grade de pequenos pontos, de pequenos elementos de imagens, que conhecemos como *pixels* (do inglês *picture elements*, ou seja, "elementos de imagem").

Ao vermos uma imagem como a representada na página anterior, da letra D maiúscula, ampliada para mostrar os pixels, é possível ver que o computador, ao armazenar quais pontos são pretos e quais pontos são brancos, constrói uma imagem – uma vez que, em uma foto em preto e branco, ou o pixel é preto ou é branco.

Assim, quando um computador armazena uma imagem como a representada acima, basta armazenar a presença de pontos pretos e brancos para formá-la na tela. Veja:

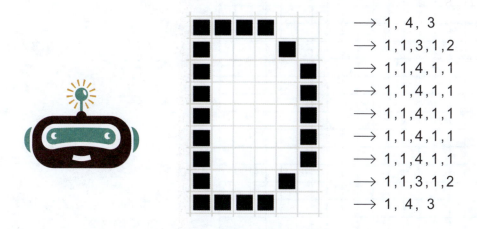

→ 1, 4, 3
→ 1,1,3,1,2
→ 1,1,4,1,1
→ 1,1,4,1,1
→ 1,1,4,1,1
→ 1,1,4,1,1
→ 1,1,4,1,1
→ 1,1,3,1,2
→ 1, 4, 3

A representação acima mostra como a imagem é compreendida pelo computador, a partir de uma representação numérica que indica quais pixels, na grade, serão pretos e quais pixels serão brancos. Na linha 1, por exemplo, a construção na imagem na grade parte de 1 pixel branco, seguido de 4 pixels pretos e, depois, de mais 3 pixels brancos. Assim, o computador lê essa informação ao encontrar a representação 1, 4, 3.

Vamos usar essa lógica para fazer a letra inicial do seu nome? Reproduza a imagem abaixo em uma folha de papel sulfite e, depois, represente as linhas em números, seguindo a mesma regra da representação acima.

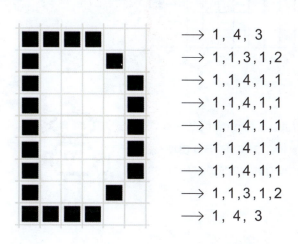

→ 1, 4, 3
→ 1,1,3,1,2
→ 1,1,4,1,1
→ 1,1,4,1,1
→ 1,1,4,1,1
→ 1,1,4,1,1
→ 1,1,4,1,1
→ 1,1,3,1,2
→ 1, 4, 3

DICA DE OURO:

O primeiro número da linha refere-se sempre aos pixels brancos. Assim, se o primeiro pixel de uma linha da grade for preto, a representação numérica deve começar por um 0.

Agora, que tal fazermos algo um pouco mais complexo? Siga as instruções das linhas numéricas apresentadas abaixo para desenhar, na grade de 25 colunas e 30 linhas, aquilo que é esperado. Se preferir, imprima uma folha quadriculada ou desenhe, com lápis e régua, a grade em uma folha A4:

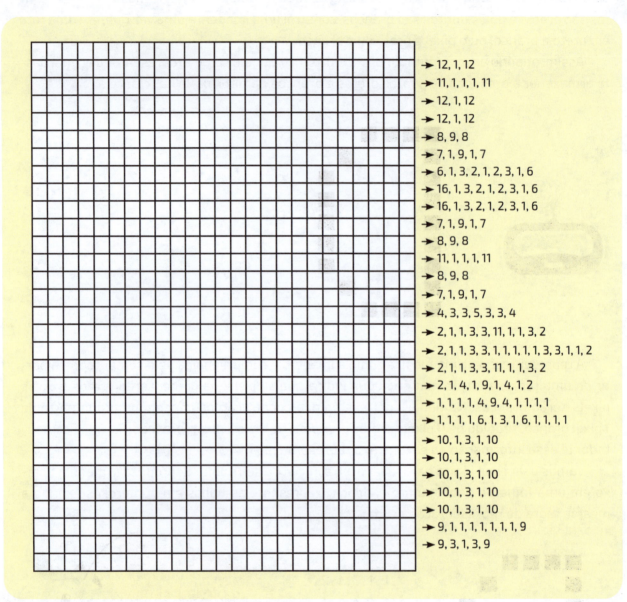

→ 12, 1, 12
→ 11, 1, 1, 1, 11
→ 12, 1, 12
→ 12, 1, 12
→ 8, 9, 8
→ 7, 1, 9, 1, 7
→ 6, 1, 3, 2, 1, 2, 3, 1, 6
→ 16, 1, 3, 2, 1, 2, 3, 1, 6
→ 16, 1, 3, 2, 1, 2, 3, 1, 6
→ 7, 1, 9, 1, 7
→ 8, 9, 8
→ 11, 1, 1, 1, 11
→ 8, 9, 8
→ 7, 1, 9, 1, 7
→ 4, 3, 3, 5, 3, 3, 4
→ 2, 1, 1, 3, 3, 11, 1, 1, 3, 2
→ 2, 1, 1, 3, 3, 1, 1, 1, 1, 1, 3, 3, 1, 1, 2
→ 2, 1, 1, 3, 3, 11, 1, 1, 3, 2
→ 2, 1, 4, 1, 9, 1, 4, 1, 2
→ 1, 1, 1, 1, 4, 9, 4, 1, 1, 1, 1
→ 1, 1, 1, 1, 6, 1, 3, 1, 6, 1, 1, 1, 1
→ 10, 1, 3, 1, 10
→ 10, 1, 3, 1, 10
→ 10, 1, 3, 1, 10
→ 10, 1, 3, 1, 10
→ 10, 1, 3, 1, 10
→ 9, 1, 1, 1, 1, 1, 1, 1, 9
→ 9, 3, 1, 3, 9

Se você conseguiu representar, em pixels, a figura ao lado, parabéns, você acaba de criar um colega de jornada para o nosso amigo Gambiarra! Dê a ele ou a ela o nome que você desejar!

Vamos registrar esse momento? Tire uma foto do seu desenho e cole-a na nossa galeria.

GALERIA DE INVENÇÕES

 MOMENTO MÃO NA MASSA: programação desplugada

Vamos programar de maneira off-line, desplugada, sem usar um computador? Observe o tabuleiro a seguir. Para completar a sequência, será necessário usar o raciocínio lógico.

Nosso mentor, Gambiarra, deverá recolher o lixo reciclável e levá-lo até a lixeira. De que maneira ele deverá fazer isso? Quais serão os comandos necessários para que ele cumpra essa ação?

Observe que, ao lado do tabuleiro, existem setas representando as direções a serem tomadas para que Gambiarra cumpra seu objetivo, enquanto a imagem da mão representa a ação de pegar e soltar os objetos. Você pode reproduzir os comandos em uma folha de papel sulfite e usá-los no tabuleiro para guiar o Gambiarra. Vamos juntos?

DICA DE OURO:

reúna os amigos e os familiares
e faça um tabuleiro maior ou recrie
algum jogo popular; em seguida,
crie desafios para que eles possam
desvendar essa programação.

PROGRAMAÇÃO PLUGADA: CONHECENDO O SCRATCH

Agora que sabemos um pouco mais de programação, que tal utilizar um programa para dar os primeiros passos nessa jornada?

Material de que vamos precisar:
⚙ computador com acesso à internet.

Para iniciar, acesse a plataforma https://scratch.mit.edu/. Em seguida, navegue por ela, assista aos vídeos e, depois, clique em "comece a criar".

No ícone abaixo, selecione "português brasileiro". Se tiver dificuldade, peça auxílio a um adulto.

Após selecionar "português brasileiro", a tela abaixo aparecerá. Navegue por ela para conhecer os recursos disponíveis. Como você pode perceber, ela é bem intuitiva. Aproveite esse momento para explorar e conhecer o programa.

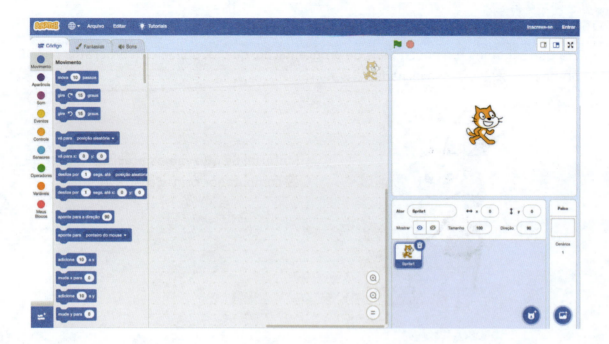

No lado esquerdo da tela, é possível visualizar códigos separados por cores, que são os comandos que fazem um objeto ou personagem andar. Além disso, é possível selecionar fantasias (na aba ao lado de **Código**), que são os personagens, e sons (na aba ao lado de "Fantasias"). Ainda é possível localizar tutoriais (símbolo de lâmpada no topo da página) com atividades que você pode fazer, que vão desde histórias até jogos.

Agora, vamos fazer um teste, conforme indicado a seguir.

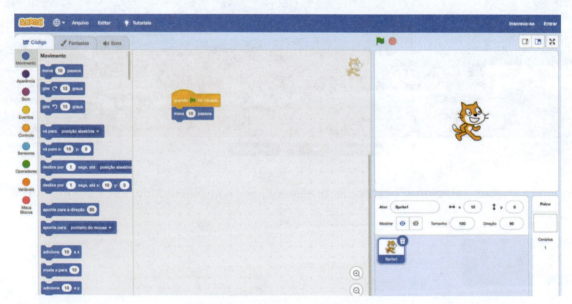

Para construir o pequeno código da imagem, clique no item **Eventos** e arraste para a área branca, na qual construímos o código, o bloco "quando 🚩 for clicado". Isso significa que, ao clicarmos na bandeira verde, o código será executado exatamente da forma como planejamos.

Agora, na aba **Movimento**, arraste e encaixe ao bloco amarelo um bloco "mova 10 passos". Isso significa que, ao executarmos o código – ou clicarmos na bandeira verde –, nosso personagem dará dez passos na direção em que ele estiver. Clique na bandeira verde e veja!

Observe que o gato deu 10 passos para a frente. Para continuar testando, peça ao gato que dê 40 passos.

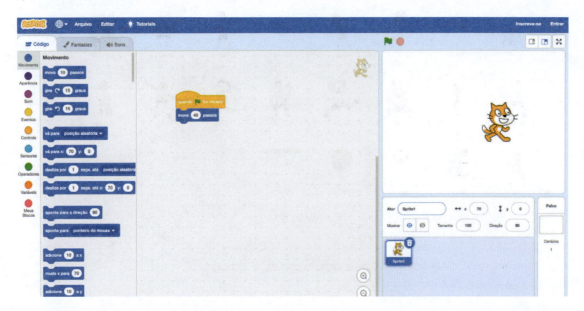

Isso ocorre porque, dentro dos comandos, estão os códigos organizados.

 MOMENTO MÃO NA MASSA: marcando um gol

Agora que conhecemos o Scratch, que tal seguirmos o passo a passo para marcarmos um gol?

No canto inferior direito, no ícone "selecione um ator", selecione a bola de futebol.

2

Na sequência, selecione "esportes" e "soccer ball".

3

Ao selecionar a bola, ela aparecerá ao lado do gato.

4

Selecione o ícone do gato e clique na lixeira para excluir esse personagem.

5

Ao lado do ícone do personagem, há o ícone "selecionar cenário". Clique nele para encontrar o campo de futebol.

6

Na aba **Esportes**, selecione o primeiro campo de futebol com o gol.

Após a seleção, aparecerá essa imagem. Agora, vamos realizar a programação.

Coloque a bola de futebol na marca do gol.

9

Clique no item **Eventos** (em laranja) e selecione a opção "quando 🏳 for clicado".
Na sequência, clique em "movimento" (em azul), selecione a opção "deslize por
1 segs. até x: 22 y: 24", e altere o valor de x para 4 e o de y para 25. Por fim, selecione
a bandeira verde na parte superior da página e observe o que vai acontecer.

10

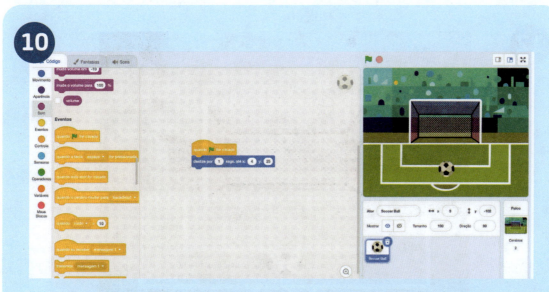

A bola será lançada ao gol, e você poderá soltar aquele grito preso na garganta!
Afinal, você marcou seu primeiro gol na programação! Agora, vamos automatizar
o processo. Retorne à programação e perceba que os códigos são de encaixe.

11

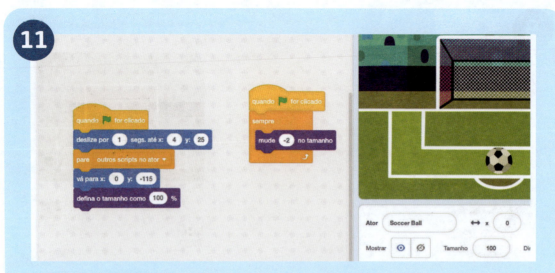

Realize os acréscimos à programação, conforme a ilustração acima. Vá ao canto superior direito, selecione o ícone ✛ e clique na bandeira verde, 🏳 no canto superior esquerdo.
A tela vai se expandir, e você verá o gol em efeito com a bola entrando.
Para retomar a programação, basta voltar no ícone ✛.

12

Para visualizar a ação novamente, basta clicar na bandeira verde.
Já imaginou quantas outras possibilidades esse programa permite a você criar?
Aqui você pode inventar histórias, criar danças, jogos e muito mais.

Vamos registrar esse momento? Tire uma foto do seu gol e cole-a aqui na nossa galeria.

GALERIA DE INVENÇÕES

Que tal retornar à galeria de invenções, repassar seus aprendizados, observar suas criações e pensar no próximo passo?

Com base nos conhecimentos adquiridos, você pode criar novos artefatos. Para finalizar nossa aventura, que tal seguir os comandos do nosso incrível robô Gambiarra para planejar sua próxima construção?

IDEALIZANDO O NOVO ARTEFATO

Vamos seguir alguns passos para você planejar seu próximo artefato? Reproduza a tabela acima em uma folha de papel sulfite, de modo que ela fique bem colorida.

ROXO – **Imagine**: na galeria de invenções, você colou fotos dos artefatos que construiu. Descubra de qual deles mais gostou e, com base nos conhecimentos adquiridos para construí-lo, pense em que outro artefato você poderia construir. Anote tudo!

AMARELO – **Planeje**: o próximo passo é separar os materiais necessários. Lembre-se de que podemos reutilizar muitos deles.

AZUL – **Desenhe**: faça um desenho do seu projeto, pense nas dificuldades que poderá encontrar e em como superá-las conseguir executá-lo.

VERDE – **Mão na massa**: coloque a mão na massa separando todos os materiais que você vai utilizar. Depois, inicie a montagem!

UFA!

Chegamos ao fim de nossa aventura.

Nela, conhecemos muitas invenções e, em nosso laboratório, recriamos vários micromundos, desbravamos a história e criamos inúmeros artefatos. Mas este não é o fim de tudo!

Ainda criaremos várias outras coisas legais e interessantes.

Mantenha o espírito de inventor! Até mais!

DÉBORA GAROFALO

Sou formada em letras e pedagogia, mestra em linguística aplicada, professora da rede pública de ensino de São Paulo e autora. Desde pequena sempre gostei de dar novos significados às coisas que seriam descartadas e compreender como elas funcionavam por dentro. Assim, uni minhas paixões: lecionar, leitura, tecnologia e inovação, aliadas a ações sustentáveis em prol do nosso meio ambiente.

Como professora, conheci muitas histórias e pude, com elas, idealizar o trabalho de robótica com sucata, que sustenta as obras, além de ser uma política pública brasileira e uma metodologia de ensino, eternizada nesta coleção de diferentes formas.

Ao longo da minha carreira, recebi importantes prêmios nacionais e internacionais e no ano de 2019 fui a primeira mulher brasileira e a primeira sul-americana a chegar à final do Global Teacher Prize e ser laureada como uma das dez melhores professoras do mundo. As experiências desta coleção foram testadas em sala de aula, para que você possa ser um(a) fazedor(a) e um(a) ativista ambiental.